Dolina Swat

Mingora

Peszawar

Islamabad

D Ż A M M U

DISCARD

N

TISTAN

CHINY

I N D I E

Która to Malala?

Która to Malala?

Renata Piątkowska

ilustracje: Maciej Szymanowicz

LITERATURA

Renata Piątkowska
Która to Malala?

Okładka i ilustracje:
Maciej Szymanowicz

Redakcja, korekta i skład: Lidia Kowalczyk,
Joanna Pijewska, Aleksandra Różanek

Wydanie II
ISBN 978-83-7672-383-9

Wydawnictwo **Literatura**, Łódź 2016
91-334 Łódź, ul. Srebrna 41
handlowy@wyd-literatura.com.pl
tel. (42) 630 23 81
faks (42) 632 30 24
www.wyd-literatura.com.pl

Rozdział 1

Strzały rozległy się we wtorek, dziewiątego października 2012 roku. Tego dnia jak zwykle pod budynek szkoły zajechał rozklekotany szkolny bus. Na jego widok dziewczynki złapały swoje plecaki i dwadzieścia par zwinnych nóg zbiegło po schodach w szaleńczym tempie. Wiadomo, która pierwsza dopadnie busa, ta zajmie lepsze miejsce. Jeszcze tylko w bramie, zgodnie z tradycją, wszystkie dziewczynki zakryły sobie twarze. Wszystkie poza jedną, która miała co prawda barwną chustę na głowie, ale nawet nie próbowała się za nią schować. Zawsze, kiedy zwracano jej uwagę: „Zasłoń twarz, ludzie na ciebie patrzą", odpowiadała z rozbrajającym uśmiechem: „Nie szkodzi, ja też na nich patrzę".

Chwilę to trwało, ale w końcu uczennice siedziały upchnięte w busie, pod czujnym okiem trójki nauczycieli. W tych warunkach o żadnej wygodzie nie mogło być mowy. Wewnątrz panował ścisk i zaduch. Leżące pod nogami plecaki i torby potęgowały jeszcze wrażenie ciasnoty. W rozgrzanym busie wirowały drobinki kurzu.

5

Unoszący się w powietrzu zapach benzyny mieszał się z wonią sprzedawanych na ulicy kebabów i z odorem śmieci, zalegających w pobliskim strumieniu.

Ale dziewczynkom wcale to nie przeszkadzało. Zarumienione, z błyszczącymi od potu policzkami nawoływały się i gadały jedna przez drugą. To była dobra okazja, żeby ponabijać się z kogo trzeba i poplotkować. Rozgadanym uczennicom, jak za dotknięciem czarodziejskiej różdżki, wywietrzały z głów wszystkie chemiczne równania, angielskie słówka i geometryczne figury. Za to losy Belli i wampira Edwarda z sagi *Zmierzch* wymagały szczegółowego omówienia. Były w tym filmie i takie sceny, o których szeptano sobie tylko na ucho.

Napastnik wyjął broń,
czarnego Kolta 45
wymierzył i strzelił
Malali w twarz.

Bus toczył się ostrożnie po wyboistej drodze, wy-
przedzając sunące bokiem kolorowe ryksze i warczące
skutery. Kierowca nic sobie nie robił z samochodów,
które wymijały go, trąbiąc głośno i wzniecając tumany
kurzu. Wokół tętnił uliczny ruch, a w szkolnym auto-
busiku też brzęczało niczym w ulu. Gdy bus skręcał,
omijając dziury, uczennice wpadały na siebie i wybu-
chały śmiechem. Przez ten gwar chwilami przebijał się
śpiew. To była chyba piosenka Justina Biebera. Coś
o chłopcu, którego serce biło mocniej, gdy widział na
ulicy ukochaną dziewczynę.

Nagle bus gwałtownie zahamował. Powodem był
młody mężczyzna z ciemną brodą, który wyszedł na
drogę i dał znak kierowcy, by się zatrzymał. Potem
wdał się z nim w rozmowę:

– Czy to bus szkoły Khushal? – wypytywał.

Tymczasem drugi mężczyzna wszedł do środka. Ten
też był młody, nie wiadomo jednak, czy miał brodę, bo
przysłonił twarz chustką, tak aby nikt nie mógł mu się
dokładnie przyjrzeć. Rozejrzał się nerwowo i zadał tylko
jedno pytanie:

– Która to Malala?

Dziewczynki milczały, ale kilka z nich odruchowo
spojrzało na tę, która nie zasłoniła twarzy. To wystar-

czyło. Napastnik wyjął broń, czarnego kolta 45. Wymierzył i strzelił Malali w twarz. Trafił w czoło, tuż nad lewą brwią. Oddał w jej kierunku jeszcze dwa strzały, ale dziewczynka już po pierwszym osunęła się na kolana przyjaciółki. Kolejne kule raniły dwie uczennice siedzące za nią.

Nim pierwszy szok minął, po zamachowcy nie było ani śladu.

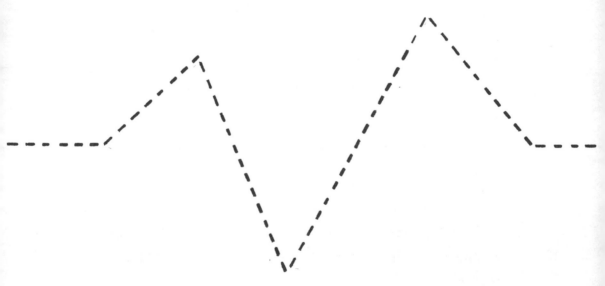

Rozdział 2

– Ratunku! Ratunku! – dziewczynki krzyczały i płakały, a niektóre kuliły ramiona, jakby chciały się stać niewidzialne.

– Ja chcę do domu! – szlochała Attiya, chowając twarz w dłoniach.

– To byli talibowie! Zastrzelą nas! Wszystkie zginiemy! – panikowały uczennice.

– Nie! Oni już uciekli – uspokajała nauczycielka. – Co z Malalą?! To o nią im chodziło!

- -

– Żyje! Ale jest cała we krwi – rozpaczała Moniba, najlepsza przyjaciółka Malali.

– Jedziemy do szpitala – zdecydował kierowca, ruszając z piskiem opon.

Na szczęście Mingora to nieduże miasto i zakurzony szkolny bus z ciężko ranną dziewczynką już po chwili hamował pod drzwiami szpitala.

– Słyszeliście? Talibowie zaatakowali autobus, którym dzieci wracały ze szkoły! – wiadomość o strzelaninie w okamgnieniu rozeszła się po okolicy.

Do szpitala dotarł ojciec Malali, ściągnęli inni rodzice, znajomi, pojawili się dziennikarze.

– Podobno Malala Yousafzai zginęła na miejscu – tę plotkę przekazywano sobie szeptem z ust do ust.

Ale życie jeszcze tliło się w dziewczynce i lekarze robili, co w ich mocy, by je ocalić. Opatrzyli też Szazię i Kainat, które zostały ranne, bo podczas ataku talibów siedziały w pobliżu Malali. W ich wypadku nie było powodu do obaw, kule ledwie je drasnęły.

Jeszcze tego samego dnia Malala została przetransportowana helikopterem do szpitala wojskowego w Peszawarze. Prześwietlenie wykazało, że kula zamachowca przeszła przez czoło, szyję i utkwiła obok lewej łopatki.

- -

– Jej stan szybko się pogarsza. Musimy operować – oznajmił lekarz przerażonym rodzicom Malali – inaczej córka umrze.

Przez blisko pięć godzin nie było żadnych wieści z sali operacyjnej. Za to pod jej drzwiami mama Malali z Koranem w ręce nie ustawała w modlitwie. Ojciec obiecywał Bogu:

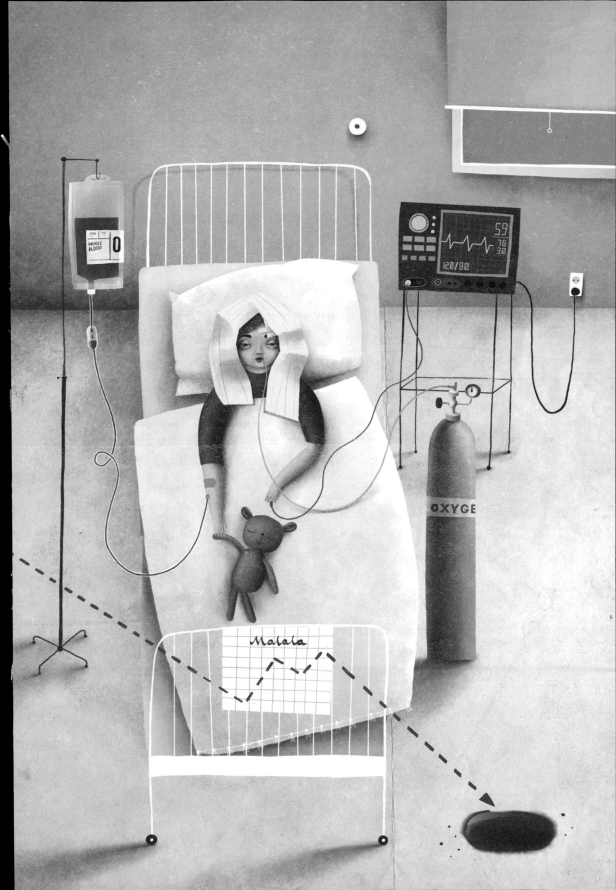

– Panie, oddam ci resztę mojego życia, dość się nażyłem, ale błagam, uratuj ją. Ona ma dopiero piętnaście lat. Nie możemy jej stracić. Powtarzałem mojej córeczce, że jest wolna jak ptak. Obiecałem, że będę strzegł jej wolności. Boże, pozwól mi dotrzymać danego słowa. Nie zabieraj nam jej. Nie potrafię bez niej żyć.

Bóg musiał spojrzeć z góry łaskawym okiem, ale i sprawne ręce lekarzy zrobiły swoje, w każdym razie operacja przebiegła pomyślnie. Była to jednak dopiero pierwsza z całego szeregu operacji, którym w późniejszym czasie została poddana Malala. Ze szpitala wojskowego w Peszawarze przewieziono ją do Rawalpindi, a ponieważ stan małej pacjentki cały czas był bardzo ciężki i tak naprawdę balansowała na granicy życia i śmierci, zapadła decyzja o przewiezieniu jej do Wielkiej Brytanii.

Piętnastego października o świcie, tydzień po zamachu, Malala znalazła się w szpitalu w Birmingham. Tej informacji nie udało się utrzymać w tajemnicy i wkrótce ponad dwustu pięćdziesięciu dziennikarzy z całego świata oblegało budynek szpitala. Wszyscy chcieli wiedzieć, jak czuje się Malala, a najchętniej – zrobić jej zdjęcie. Lekarze musieli codziennie wydawać oświadczenia dla prasy o stanie zdrowia dziewczynki.

Każdego dnia nagłówki gazet krzyczały:

15-LETNIA DZIEWCZYNKA Z PAKISTANU WALCZY O ŻYCIE! DO ZAMACHU PRZYZNALI SIĘ TALIBOWIE!

Malala przejdzie operację rekonstrukcji szczęki i ucha oraz wszczepienia tytanowej płytki w miejsce uszkodzonej czaszki!

Talibowie zapowiedzieli kolejne zamachy na dziewczynkę, jeśli uda jej się przeżyć!

MALALA YOUSAFZAI

– dziewczynka, która odważyła się sprzeciwić talibom!

CHCIAŁA TYLKO CHODZIĆ DO SZKOŁY. I ZA TO POSTANOWILI JĄ ZABIĆ!

Odpowiedzialni za atak talibowie twierdzą, że zamach ma być ostrzeżeniem dla wszystkich, którzy ośmielą się ich krytykować!

BARBARZYŃSTWO I NIKCZEMNOŚĆ

– świat potępia zamach na małą Pakistankę!

Nie tylko prasa poświęcała dużo uwagi Malali. Pojawiło się również mnóstwo wpisów na forach internetowych. Pisały nastolatki, rówieśnicy dziewczynki, jak i przejęci wydarzeniami w Pakistanie dorośli internauci. Na czacie toczyły się takie rozmowy:

Blocked175

Wie ktoś, co to za zbiegowisko przy szpitalu Królowej Elżbiety? Aż roi się tam od dziennikarzy. Widziałem nawet helikopter Sky News. Latał w kółko i filmował wszystko z góry.

Rodeel91

Chodzi o Malalę, tę uczennicę z Pakistanu, którą postrzelili talibowie. Leczą ją w tym szpitalu. Gazet nie czytasz?

Blocked175

Co to za jedna?

Rodeel91

Człowieku, na jakim ty świecie żyjesz? Nie słyszałeś o Malali? Trąbią o niej w każdych wiadomościach.

MagnusXX

Blocked175, mogę cię oświecić. To piętnastoletnia Pakistanka. W jej kraju talibowie burzą i zamykają szkoły. A ona krytykowała ich rządy i domagała się prawa do nauki. Za to próbowali ją zabić.

Blocked175

Ej, nie ogarniam tego. Po kiego ryzykowała i odszczekiwała się talibom? Żeby łazić do budy? Nie lepiej wrzucić na luz i pograć na kompie? U nas nawet najgorsze kujony byłyby szczęśliwe, gdyby zamknęli szkołę. Zwłaszcza że w przyszłym tygodniu ma być test z matmy.

TigerXL

Nic nie chwytasz! W Pakistanie możliwość chodzenia do szkoły to przywilej, szansa, żeby coś osiągnąć. A talibowie chcieli, by dziewczynki siedziały w domach, wychodziły za mąż i rodziły dzieci. Według nich kobieta powinna być analfabetką, siedzieć w kuchni i mieszać w garach. Dlatego w dolinie Swat, skąd pochodzi Malala, zabronili dziewczynkom chodzić do szkoły. Próbę przeciwstawienia się talibom można było przypłacić życiem. Ona się odważyła. A ty tu wypisujesz jakieś bzdury o wrzucaniu na luz i teście z matematyki.

Moon2000

Jak taka smarkata mogła narazić się talibom? Oni chyba nie trzęsą portkami przed małymi dziewczynkami?

Stark33

A jednak strzelali do niej i odgrażają się, że jeśli wyjdzie z tego cało, zaatakują znowu. Podobno w szpitalu jest pod stałą ochroną.

TigerXL

Z talibami nie ma żartów. Byłem w Pakistanie w 2007 roku, kiedy zajęli dolinę Swat. Pod okupacją talibów porwania, egzekucje i zamachy bombowe były na porządku dziennym. Niszczyli i grabili szkoły, a ich przywódca Fazlullach twierdził, że: „Ci, którzy się uczą, pójdą do piekła". Wojska rządowe nie radziły sobie z terrorem.

Moon2000

Jak się tam znalazłeś?

TigerXL

Byłem reporterem. Filmowałem z ukrycia talibów w turbanach, jak palili na ulicy telewizory i komputery. Nocą fotografowałem pojawiające się na niebie słupy ognia, gdy wysadzali w powietrze elektrownie, gazociągi i mosty. Mogłem za to zarobić kulkę w łeb.

Moon2000

Nieciekawie...

TigerXL

No raczej. O zmroku, po godzinie policyjnej, miasto wyglądało jak wymarłe. Na ulicach żywej duszy. Nikt nie ważył się nawet słuchać muzyki, bo to też było zabronione. Niepokornych chłostano lub zabijano. A kobiety musiały nosić burki i nawet w dzień nie mogły same wyjść z domu. Zawsze musiał im towarzyszyć mąż albo inny mężczyzna, który był ich krewnym.

Blocked175

A gdyby któraś nie posłuchała, to co?

TigerXL

Nie chcesz wiedzieć.

Stark33

To przecież żadna tajemnica. W sieci krąży taki filmik. Nastolatka w czarnej burce leży twarzą do ziemi, a brodaty talib okłada ją jakimś batem. Ona krzyczy i błaga go, żeby przestał, a on bije bez litości. Wreszcie zostawia ją spłakaną i zakrwawioną. Wokół zbiera się tłum, ale nikt nie ma odwagi jej pomóc. Ktoś nagrał tę scenę telefonem komórkowym i wrzucił filmik do netu. Potem pokazywano to nagranie w telewizji na całym świecie.

Blocked175

Za co on jej to zrobił?

Stark33

Facet, z którym wyszła z domu, nie był jej mężem ani krewnym. A to zabronione i sprzeczne z tradycją.

Blocked175

Masakra. Ale czym ta Malala aż tak wkurzyła talibów? Mogli ją przecież wychłostać, a nie od razu strzelać.

TigerXL

Malala to przeciwnik, z którym trudno było sobie poradzić. Od jedenastego roku życia stawała śmiało przed kamerami i udzielała wywiadów. Stacje informacyjne w Pakistanie wiedziały, że dziecko na ekranie robi wrażenie. Zwłaszcza gdy mówi prosto i szczerze, jak Malala. A ona przed obiektywem czuła się swobodnie i nie wahała się pytać: „Jakim prawem talibowie zabraniają mi chodzić do szkoły? Dlaczego nie mogę się uczyć?".

MagnusXX

Gdyby ją wychłostali, zaraz by to było w telewizji i wszyscy współczuliby Malali, a na talibach wieszali psy. Za to jeden celny strzał mógł rozwiązać ich problem.

Rodeel91

W sumie mało brakowało. Cud, że przeżyła. Ja bałbym się tak nadstawiać karku.

TigerXL

Rodzice jej koleżanek też się bali. Dlatego zabraniali córkom rozmawiać z dziennikarzami. Ale Malala miała ojca, który się nie bał i pozwalał jej udzielać wywiadów. Wspierał ją i powtarzał: „Jesteś dzieckiem i masz prawo mówić".

Rodeel91

No to facet miał nerwy ze stali! Pozwalał własnej córce pogrywać z talibami! Nie wiedział, na co ją naraża?!

TigerXL

Poznałem go. Ziauddin Yousafzai to bardzo odważny i niezwykły człowiek. Świetny nauczyciel i poeta. Sam często występował w mediach, przemawiał na wiecach i zgromadzeniach. Mówił bez owijania w bawełnę o inwazji talibów, o tym, co się dzieje w Swacie. Krytykował rząd za to, że nie broni przed terrorem swoich obywateli.

Blocked175

Nie bał się, że talibowie go uciszą?

TigerXL

Bał się. Zwłaszcza że dostawał anonimowe listy z pogróżkami. Przez pewien czas nocował nawet u kolegi, bo nie chciał, żeby dopadli go w domu i zabili na oczach rodziny. Wiedział, że mają go na celowniku. Ale robił swoje. Powtarzał, że trzeba mówić prawdę, bo tylko prawda obali strach. Założył sieć szkół i walczył o ich przetrwanie. Bardzo dbał o wykształcenie Malali i jej braci. Oczywiście obawiał się o bezpieczeństwo córki, ale z drugiej strony wiedział, że ona jest jeszcze dzieckiem, i wierzył, że „nawet talibowie nie mordują dzieci".

Rodeel91

Ona podobno pisała bloga. Używała jakiegoś pseudonimu, ale talibowie i tak się połapali, że to jej robota.

Blocked175

Musiała ich nieźle wkurzać tym blogiem...

TigerXL

Blog to był pomysł mojego kolegi, pakistańskiego reportera pracującego dla BBC. W 2009 roku szukał uczennicy lub nauczycielki ze Swatu, która chciałaby pisać coś w rodzaju pamiętnika o życiu pod rządami talibów. Ale nie było chętnych, nawet nauczycielki odmawiały, bo bały się linczu.

Blocked175

Nie ma się co dziwić. Ludzie mieli cykora.

TigerXL

Jednak ojciec Malali zgodził się, by to ona podjęła się tego zadania. Żeby ukryć się przed talibami, podpisywała się pseudonimem Gul Makai, czyli Bławatek. Z czasem te zapiski jedenastolatki zyskały duży rozgłos. Dodawały odwagi zastraszonym mieszkańcom Swatu. Odważny głos dziewczynki, która pisała, że ma tylko jedno marzenie – by móc bez strachu chodzić do szkoły – coraz bardziej irytował talibów. Zaczęli jej grozić, ale Malala dalej mówiła, co myśli. W końcu zapadł na nią wyrok.

Blocked175

Niezła jazda. A ja myślałem, że na całym świecie chodzenie do szkoły to coś jakby roboty przymusowe. I jeszcze człowiek nie wiadomo za co ciągle dostaje jedynki albo ochrzan i potem ma w domu szlaban na wszystko.

MagnusXX

Blocked175, idź już lepiej uczyć się tej matmy.

Blocked175

Czarno widzę ten test. Spadam. Nara.

Rozdział 4

W szpitalu Królowej Elżbiety w Birmingham Malala leżała w izolatce na oddziale intensywnej terapii. Miała zniekształconą twarz, rurkę w tchawicy i ogoloną z boku głowę. Nie mogła ruszać szczęką, nie słyszała na lewe ucho, a na lewe oko widziała bardzo niewyraźnie. Była przerażona. Nie pamiętała nic z tego, co wydarzyło się w szkolnym busie. Nie miała pojęcia, gdzie jest i skąd się wzięła w tym dziwnym miejscu. Wszystko jej się myliło. Sny i wspomnienia mieszały się ze sobą i wirowały w jej pogruchotanej głowie. Wtedy zamykała oczy i w myślach wymykała się ze sterylnej, szpitalnej sali. Jak najdalej od rurek, strzykawek i kroplówek. Niby cały czas leżała podpięta do monitorów, a jednak uciekała z łóżka otoczonego wianuszkiem lekarzy. A oni szeptali nad jej głową:

– Źle zareagowała na antybiotyk.

– Znowu krwawi z ucha.

– Koniecznie trzeba powtórzyć tomografię.

– Co z temperaturą, spadła?

Lekarze coś tam jeszcze notowali, zalecali kolejne badania i nie mieli pojęcia, że Malala była już w dolinie Swat. W domu dziadka zagubionym pośród gór, strumieni i wodospadów.

– Ach, co tak pięknie pachnie? – zastanawiała się Malala.

Pociągnęła mocniej nosem i już wiedziała – to pikantna baranina, smażony kurczak, gotowany ryż i pistacjowe przysmaki. Widziała babcię, szykującą posiłek i rozlewającą do kubków herbatę z mlekiem, cukrem i kardamonem.

W swoim półśnie słyszała głosy kuzynek:

– Malala, chodź, bawimy się w ślub.

– Tylko nie myśl, że będziesz panną młodą. Tanzela jest ładniejsza.

– Leć po szminkę mamy, musimy ją pięknie umalować.

– Aneesa, załóż jej biżuterię. Im więcej, tym lepiej. Koniecznie dużo bransoletek i kolczyki.

– Malala, a ty upnij jej włosy. Wiesz, tak jak teraz czeszą się aktorki.

– Sumbul, jeszcze paznokcie. Zrób henną, na czerwono.

Malala widziała małą Tanzelę – piękną pannę młodą obwieszoną błyskotkami, która nie mogła się doczekać, kiedy wreszcie dziewczynki wydadzą ją za mąż.

Ale nie pamiętała, co było dalej. Już inne obrazy kłębiły się w jej biednej głowie. Przestraszyła się. Dlaczego jest tak ciemno? Ach, to noc, czarna i nieprzenikniona. Malala, jej mali bracia i kuzynki nie chcą jeszcze spać.

Leżą nakryci po sam czubek nosa i słuchają opowieści starych kobiet. Babcia opowiada najpiękniej.

– Posłuchajcie o malowanym szakalu.

Pewnego razu, polując, wpadł szakal do naczynia z barwnikiem. Wymazał się caluteńki. Gdy wrócił do domu, wszyscy go pytali:

– Co ci się stało?

A on odpowiedział:

– Czy kiedykolwiek cokolwiek na świecie wyglądało tak dobrze jak ja? Spójrzcie na mnie. I niech nikt nie waży się więcej nazywać mnie szakalem.

– No to jak mamy cię nazywać? – chcieli wiedzieć.

– Paw. Nazywajcie mnie odtąd pawiem – powiedział szakal.

– Pawie potrafią rozkładać swój wspaniały ogon. Czy ty też tak potrafisz? – nie dawali za wygraną.

– Nie potrafię – przyznał szakal.

– Pawie wydają z siebie dziwny, melodyjny krzyk. A ty zdołasz tak krzyknąć?

– Muszę przyznać, że nie dam rady – stwierdził szakal.

– Skoro tak – odparli przyjaciele – nie jesteś ani szakalem, ani pawiem.

I wyrzucili go ze swego grona.

Babcia skończyła opowieść, a w ciemnym pokoju mali chłopcy dogadywali:

– Paw. Nazywajcie mnie odtąd pawiem
– powiedział Szakal.

– Dobrze mu tak.

– Trzeba było się nie wymądrzać, zmyć farbę i trzymać z szakalami.

A ja? Kim ja jestem? Malalą? Gul Makai? Odważną uczennicą w Mingorze? Przerażoną dziewczynką w jakimś obcym mieście?

Malala wierciła się niespokojnie. Próbowała o coś zapytać, ale zdrętwiały język nie chciał się poruszyć, a rurka w tchawicy tylko zaświszczała. I dziewczynka znowu była w ciemnym pokoju w domu dziadka, a za oknem rozciągała się czarna noc.

– Babciu, opowiedz coś jeszcze. Prooooszę – przymilał się cienki głosik. To musiał być Atal.

– No dobrze – babcia nie dała się długo prosić. – Myślę, że to się wam spodoba.

Dawno temu w pewnym lesie, w domku z wydrążonej dyni, mieszkały dwie małe, dziwne postacie – Tuna i jego żona Tunai. Pewnego razu, gdy Tunai zamiatała podłogę, znalazła ziarenka kukurydzy. Tuna zabrał je do młyna i zmielił. A kiedy przyniósł żonie mąkę kukurydzianą, ta wyrobiła z niej ciasto na chleb. Potem rozpaliła ogień i włożyła chleby do pieca. Zapachniało w całej dyniowej chatce i Tuna nie mógł się już doczekać chwili, gdy chleb będzie gotowy. Ledwo Tunai wyjęła bochenki z pieca, jej mąż zabrał się do jedzenia…

Babcia przerwała na chwilę.

W pokoju dało się słyszeć mlaskanie i głośne prze-
łykanie śliny. Dzieciom zdawało się, że mają w ustach
jeszcze ciepły miąższ, a pod ich zębami łamie się krucha,
chlebowa skórka.

– I co? Co było dalej? – pytały zniecierpliwione.

– Tuna jadł łapczywie kromkę za kromką – ciągnęła
opowieść babcia.

*– Już się chyba nasyciłeś. Zostaw trochę na jutro – pro-
siła żona.*

*Ale Tuna jej nie słuchał. Przygarniał chleby do siebie,
jakby się bał, że ktoś mu je zabierze, i zachłannie przeły-
kał wielkie kęsy.*

*Zjadł tyle, że z jego brzuchem zaczęło się dziać coś
dziwnego. Zrobił się wielki i napięty, a Tuna poczuł, że
zaraz puści bąka. I to nie byle jakiego! Widząc, na co się
zanosi, Tunai błagała go:*

– Wyjdź z domu!

*Było jednak za późno. Tuna miał brzuch pełen gazów
i nie mógł dłużej znieść tego okropnego ciśnienia. Nie
wytrzymał i nagle, wiadomo skąd, z potężnym hukiem
wyrwał się na świat ogromniasty bąk. Jak grzmot prze-
toczył się przez wydrążoną dynię, a ta rozpadła się na
tysiąc pomarańczowych kawałków. Tuna i Tunai zostali
bezdomni. A wszystko z winy Tuna, który przez resztę życia
pokutował za swoje obżarstwo.*

Jak było do przewidzenia, dzieci zwijały się ze śmiechu pod kocami. Chłopcy ze wszystkich sił chcieli puścić równie wielkiego bąka, a dziewczynki wołały: „Fuj! Fuj!" i kazały im wyjść na podwórze, bo inaczej zawali się dom dziadka. Oczywiście o spaniu nie było już mowy.

Och, jak Malala chciała tam zostać. Słuchać następnych opowieści, chichotać z kuzynkami i droczyć się z braćmi, dopóki wszystkich nie zmorzy sen. Potem wstać o brzasku i patrzeć w zachwycie, jak słońce odbija się od wierzchołka ogromnej Czarnej Góry, by po chwili oświetlić szczyt tej drugiej – Białej. Tylko o świcie słoneczne promienie potrafiły sprawić, że potężne góry miały szczerozłote korony na kamiennych głowach.

Góry, góry, góry, Czarna Góra, Biała Góra – myśli Malali znowu się mącą. A z zakamarków pamięci wyłania się całkiem inna góra, brzydka, cuchnąca, usypana ze śmieci i odpadków. Takie wysypisko było w Mingorze niedaleko domu Malali. W Swacie nie zbiera się śmieci, więc góry odpadków rosną szybko na opuszczonych miejskich placach.

Któregoś dnia, na prośbę mamy, Malala poszła tam wyrzucić jakieś resztki. Teraz przypomniała sobie gnijące sterty jedzenia, okropny zapach, chmary much i szczury, które wcale się jej nie bały. Pośród tego krzątała się dziewczynka. Malala nigdy jej nie zapomni. Była strasznie brudna, obszarpana i zaniedbana. Krążyła wokół hałdy i wyciągała z niej puszki, butelki, papiery. Odkładała je na osobne kupki, żeby potem sprzedać te znaleziska w punkcie skupu za kilka rupii. Malala nie odważyła się do niej odezwać, ale potem prosiła ojca, żeby pomógł tej dziewczynce. Nalegała, by przyjął ją do ich szkoły.

Bose stopy w za dużych sandałach, umorusana buzia, parę rupii w małej, brudnej dłoni, wrony kołujące nad wysypiskiem. Myśli znowu zaczęły się rwać na strzępy. Zniknęły spod powiek śmieciowe góry. Malala zgubiła wątek, ale do obolałej głowy jak echo powracały pytania:

Ile dziewczynek wygrzebuje ze śmietników pogniecione puszki?

Ile szuka oblepionego brudem szkła?

Ile wygładza skrawki poplamionego papieru?

Ile ich jest?

Ile? Ile? Ile?

Rozdział 5

Podczas gdy sny i wspomnienia Malali ciągle krążyły wokół Swatu, myśli jej rodziców biegły do Birmingham. Wprost do szpitalnej sali, w której leżała ich córka. Wyobrażali sobie, że tam są, że przyszli do niej w odwiedziny. Ojciec trzymał w swych dużych dłoniach jej rączkę, a matka poprawiała poduszkę i, przysiadając na brzegu łóżka, pytała:

– Jeszcze nie śpisz, córeczko? Opowiedzieć ci coś?

Dobrze wiedziała, że Malala uwielbia takie wieczorne opowieści. A już o tym, jak jej rodzice poznali się i pokochali, mogłaby słuchać bez końca.

– Było tak – mama też lubiła tę historię – twój ojciec mieszkał w sąsiedniej wiosce. Do dziś pamiętam, jak mocno biło mi serce na jego widok. Podziwiałam go, był mądry, marzył o założeniu własnej szkoły i pisał dla mnie wiersze.

– A ja nigdy nie spotkałem piękniejszej dziewczyny – dodał ojciec. – Długo musiałem zabiegać, by dostać ją za żonę, ale warto było – uśmiechał się, patrząc na mamę.

– Po studiach twój tata otworzył z przyjacielem swoją pierwszą szkołę w Mingorze. Zaraz po ślubie przyjechałam do niego i zamieszkaliśmy w lepiance bez łazienki i kuchni. Gotowałam na palenisku na ziemi, a pranie robiłam w szkolnej umywalce. Na dodatek nasz dom zawsze był pełen ludzi, przychodzili sąsiedzi, przyjeżdżali w gości znajomi z wioski. Brakowało wszystkiego, byliśmy bardzo biedni, ale tacy zakochani – mama rozpromieniła się na samo wspomnienie.

– Mój przyjaciel nie mógł się temu nadziwić. „Większość z nas nie może wytrzymać z żonami, a ty nie możesz bez swojej żyć", powtarzał zdumiony.

– Twój tata nigdy nie miał przede mną tajemnic i zawsze pytał mnie o zdanie. Twierdził, że mam praktyczny zmysł i znam się na ludziach. Słuchał moich rad, choć nie umiałam pisać i nawet tych jego pięknych wierszy nie potrafiłam przeczytać – westchnęła mama.

– Ale za to jak pięknie słuchałaś, gdy ci je czytałem – przypomniał tata.

Mama sprawdziła, czy Malala jest dobrze okryta i delikatnie pogłaskała ją po głowie.

– Kiedy przyszłaś na świat, *Piszo – Piszo* znaczy „kot" i mama często nazywała tak córkę – obawiałam się, że twój ojciec będzie zawiedziony. Wiadomo, córeczka to nie to samo, co syn. Ale tata spojrzał ci w oczy i w tej samej chwili się w tobie zakochał – mama zamilkła, a ojciec podjął przerwaną opowieść:

– Potem zwolniły się trzy pokoje nad szkołą i mogliśmy się tam przeprowadzić. Tak po prawdzie, to wychowywałaś się w szkolnych klasach. Ledwie nauczyłaś się raczkować, a już na czworakach przychodziłaś na lekcje. Mając trzy latka, siedziałaś wytrwale na krzesełku i słuchałaś słów nauczyciela, choć pewnie niewiele z nich rozumiałaś.

– Ojciec troszczył się o nas, jak umiał najlepiej. Otworzył kolejną szkołę, zaangażował się w politykę, a ja dałam mu dwóch synów – Khushala i Atala. Teraz wy jesteście moim całym światem – mama pogłaskała Malalę po buzi.

A tata szepnął:

– *Dżani* – znaczyło to tyle, co „kochana" – tęsknimy za tobą. Niedługo znowu będziemy razem, obiecuję. A teraz już śpij, *dżani*, śpij.

Rodzice przez dziesięć dni czekali w Pakistanie na paszporty i decyzję rządu w ich sprawie. W końcu dostali zgodę na wyjazd do Wielkiej Brytanii. Przez te dziesięć dni, które ciągnęły się w nieskończoność, na przemian to zamartwiali się o Malalę, to przekonywali się nawzajem, że wszystko będzie dobrze. Każdego dnia ojciec starał się przyspieszyć formalności, a matka nie ustawała w modlitwie.

Wieczorami ogarniał ich smutek i tęsknota. Wtedy ich myśli, bez paszportów i zgody władz, wymykały się

– Byliśmy bardzo biedni, ale tacy zakochani.

z Pakistanu i szukały Malali w Birmingham. Znajdowały ją w szpitalnej sali. Krążyły wokół łóżka, gotowe utulić, ukołysać, zabawić ulubioną opowieścią.

A Malala często, budząc się rano, miała dziwne wrażenie, że ktoś przy niej czuwał nocą i o świcie bezszelestnie wychodził z sali. We śnie wydawało jej się, że czyjeś dłonie okrywały ją troskliwie i trzymały za rękę, by czuła się bezpieczna. I mogłaby przysiąc, że słyszała opowiedzianą na dwa głosy, dobrze jej znaną piękną historię o tym, jak jej rodzice się poznali i bez reszty w sobie zakochali.

Rozdział 6

Stan zdrowia Malali ulegał stopniowej poprawie. Coraz rzadziej gorączkowała i zapadała w te swoje męczące, niespokojne sny. Zaczęła komunikować się z lekarzami. Najpierw przy pomocy ołówka i kartki. Pisała niewyraźnie, myliła angielskie słówka, ale z każdym dniem szło jej coraz lepiej. Wreszcie pozbyła się rurki z tchawicy i odzyskała głos. Przeniesiono ją z oddziału intensywnej terapii do zwyczajnej szpitalnej sali. Próbowała stanąć o własnych siłach, ale nogi odmawiały jej posłuszeństwa. Czekała ją jeszcze długa rehabilitacja.

Mogła już za to siedzieć podparta poduszkami w szpitalnym łóżku. I właśnie na siedząco powitała swoich najważniejszych gości. Po dziesięciu dniach od przybycia Malali do Anglii dołączyli do niej rodzice i bracia. To była bardzo wzruszająca chwila. Wszyscy długo tulili się do siebie, nie kryjąc łez.

Boże, jak oni się postarzeli przez te ostatnie dni. Są przygarbieni i posiwiały im włosy – pomyślała Malala, ale nie dała po sobie poznać, że widok rodziców ją przeraził.

Boże, co się stało z naszą córeczką? Ma zniekształconą buzię i blizny na głowie. Nie może mrugać lewym okiem i słabo słyszy – rodzice byli przerażeni, ale starali się, by nie wyczytała tego z ich twarzy.

Ojciec ciągle zarzucał sobie, że wciągnął córkę w politykę. Że zgadzał się na wystąpienia, wywiady i na to, by Malala pisała bloga. Obwiniał się, że jej nie uchronił, nie ustrzegł.

– Powiedz mi prawdę. Myślisz, że to moja wina? Że to wszystko spotkało naszą córkę przeze mnie? – pytał żonę, a ta uspokajała go i zapewniała:

– Nie, to nie twoja wina. Nie uczyłeś naszej córki kraść ani zabijać. Chciałeś, by mówiła prawdę, żeby nie dała się zastraszyć. A w tym nie ma nic złego. To talibowie ją skrzywdzili, nie ty.

Mama jak zwykle stanęła murem za ojcem, ale oboje byli przygnębieni. Na szczęście ich córka czuła się coraz lepiej, a kolejna operacja, tym razem nerwu twarzowego, znacznie poprawiła wygląd Malali. Ćwicząc intensywnie mimikę, mogła się wreszcie uśmiechać, otwierać i zamykać oko, ruszać brwiami. Następny zabieg, tym razem wszczepienia implantu, sprawił, że Malala słyszała nie tylko na prawe, ale i na lewe ucho. I wreszcie na koniec chirurdzy załatali, przy pomocy tytanowej płytki i ośmiu śrub, dziurę w czaszce Malali.

Efekty tych operacji i poprawiający się stan zdrowia dziewczynki codziennie komentowane były w mediach.

Zresztą losem Malali interesowali się nie tylko dziennikarze z rozgłośni radiowych, z popularnych magazynów i stacji telewizyjnych, ale także zwykli ludzie. Malala była zaskoczona, gdy pewnego razu doktor Fiona Alexander przytaszczyła do sali pękaty worek i powiedziała:

– W środku są listy i kartki z pozdrowieniami i życzeniami powrotu do zdrowia.

– Ale jak? Skąd? – dziwiła się Malala, oglądając kolorowe pocztówki.

– Z całego świata. Nawet z Japonii i Australii. Zobacz – doktor Fiona wskazała leżącą na wierzchu kopertę – ktoś nie znał dokładnego adresu i napisał tylko: „Malala, szpital w Birmingham", a list, mimo to, doszedł.

– Nie do wiary! Nigdy nie dostałam tylu listów i tylu pięknych kartek. I to wszystko od zupełnie obcych ludzi – dziewczynka wertowała stosy korespondencji.

– Ależ to tylko część z tego, co nadeszło – uśmiechnęła się lekarka. – Tych worków jest więcej. Do tego kartony pełne maskotek, czekoladek i zabawek. Najwięcej jest misiów. Przyniosę ci kilka – powiedziała i po chwili wróciła z naręczem pluszowych niedźwiadków. Usadziła je dokoła łóżka i w szpitalnej sali od razu zrobiło się weselej. Zwłaszcza gdy okazało się, że jakiś nieznany wielbiciel przysłał Malali miłosny liścik, w którym prosił, by została jego żoną. Inni autorzy listów chcieli ją natychmiast adoptować.

– Przecież ja mam rodziców! I to najlepszych na świecie! – protestowała.

Pozostałe kartki zawierały słowa wsparcia, pozdrowienia i zapewnienia, że ludzie modlą się, by szybko wróciła do zdrowia.

– To też dla mnie? – spytała Malala, wyjmując z worka dwa zwiewne, eleganckie szale. – Są piękne – szepnęła.

Okazało się, że to był prezent od dzieci byłej pakistańskiej premier Benazir Bhutto, która zginęła w zamachu terrorystycznym w 2007 roku. Pani premier lubiła te szale i zakładała je często, zwłaszcza podczas ważnych wystąpień. Malala przytuliła do twarzy jedwabisty materiał, by poczuć delikatny zapach perfum. Wiedziała, że to najcenniejsza przesyłka ze wszystkich.

Wśród wielu dowodów sympatii, jakie otrzymała, były i takie, które sprawiły, że przecierała oczy ze zdumienia. Nie ma się co dziwić, w końcu nie co dzień dostaje się kartkę z pozdrowieniami od Beyoncé! Nie mniej zaskoczyła Malalę wiadomość, że Madonna zadedykowała jej swoją piosenkę. A już reakcja Angeliny Jolie przeszła najśmielsze oczekiwania małej pacjentki. Bo właśnie ta sławna aktorka, na wieść o zamachu na Malalę, podarowała dwieście tysięcy dolarów na edukację pakistańskich dziewczynek i oświadczyła: „Malala jest niezbitym dowodem na to, że wystarczy głos jednego niezwykle odważnego człowieka, by zainspirować niezliczoną rzeszę mężczyzn, kobiet i dzieci. (…) Bądźmy wszyscy jak Malala!”.

Do szpitala napływały słowa wsparcia od szefów państw i polityków z całego świata. Okazało się, że zamach talibów na Malalę odniósł skutek odwrotny do zamierzonego. Chcieli ją uciszyć, pozbyć się jej raz na zawsze, a sprawili, że usłyszał o niej cały świat. Malala ściągnęła na siebie ich gniew publicznymi wystąpieniami na wiecach i zgromadzeniach. Dzięki ojcu była świetnie zorientowana w sytuacji politycznej Pakistanu. Choć głowa ledwie jej wystawała znad mównicy, przemawiała śmiało i nie potrzebowała zerkać do notatek. Potrafiła jasno i prosto, ale jednocześnie z dziecięcym zapałem domagać się prawa do bezpiecznej szkoły, książek i nauki. A jej słowa odbijały się głośnym echem. Ale chyba najbardziej naraziła się talibom, gdy jako jedenastolatka, na prośbę dziennikarza BBC Abdula Hai Kakara, zaczęła opisywać na blogu codzienne życie mieszkańców Swatu pod rządami talibów. To, jak każdego dnia życie, krok po kroku, zamieniało się w koszmar. W styczniu 2009 roku Gul Makai opublikowała na swoim blogu pierwszy post:

3 stycznia

Boję się. Wczoraj miałam straszny sen. Śniły mi się wojskowe helikoptery i talibowie. Wciąż mam takie sny, odkąd w Swacie toczą się walki. (...) Bałam się iść do szkoły, bo talibowie zakazali dziewczynkom uczęszczać do szkół, ale mama zrobiła mi drugie śniadanie, więc poszłam. Tylko jedenaście z dwudziestu siedmiu uczennic przyszło na lekcje. (...) Gdy wracałam do domu, usłyszałam, jak mężczyzna za moimi plecami powiedział: „Zabiję cię". Przyspieszyłam kroku i po chwili odwróciłam się, żeby sprawdzić, czy wciąż za mną idzie. Na szczęście okazało się, że rozmawiał przez telefon i groził komuś innemu.

Potem pojawiły się kolejne wpisy:

4 stycznia
Obudziłam się późno, około dziesiątej rano. Usłyszałam, jak tata mówił, że kolejne trzy ciała leżały na skrzyżowaniu Green Chowk. Źle się poczułam, słysząc te wiadomości. (...) Kiedyś wszyscy jeździliśmy na niedzielne pikniki. Teraz, z powodu obecnej sytuacji, od półtora roku nie byliśmy na żadnym. Kiedyś po kolacji chodziliśmy na spacery, a teraz wracamy do domu przed zachodem słońca. Dzisiaj posprzątałam, odrobiłam zadanie domowe i pobawiłam się z bratem. Jednak moje serce cały czas szybko biło na myśl, że jutro pójdę do szkoły.

5 stycznia
Szykowałam się do szkoły i już miałam włożyć mój niebieski mundurek, kiedy przypomniałam sobie, że dyrektor polecił nam przyjść w normalnych ubraniach. Zdecydowałam, że założę moją ulubioną różową tunikę. Inne dziewczynki też miały na sobie różnokolorowe tuniki. (...) Ale podczas

porannego apelu powiedziano nam, że nie możemy nosić takich barwnych ubrań, bo talibowie ich nie znoszą.

14 stycznia

Jestem w złym nastroju, bo zaczynają się zimowe ferie. Dyrektor ogłosił, że od jutra szkoła będzie zamknięta, ale nie wspomniał, kiedy będzie ponownie otwarta. (...) Domyślam się, że to przez talibów, którzy ogłosili zakaz edukacji dla dziewcząt od piętnastego stycznia. Tym razem moje koleżanki nie były uradowane zimowymi wakacjami, bo zarządzenie talibów może sprawić, że nie będziemy już mogły wrócić do szkoły. Ja wierzę, że pewnego dnia szkoła znów będzie otwarta, ale dziś, opuszczając ją, patrzyłam na ten budynek, jakby to był ostatni raz.

Właśnie tego dnia, czternastego stycznia, Malali od rana towarzyszyły kamery telewizyjne. Kręcono film dokumentalny dla „New York Timesa", by pokazać światu, jak z rozkazu talibów zamykane są szkoły. Film nosił tytuł: *Koniec lekcji w dolinie Swat*. Reporter czekał od świtu, by uchwycić moment, jak Malala się budzi, a potem nie przestawał filmować nawet wtedy, gdy odmawiała modlitwę i myła zęby. Nauczona doświadczeniem, nie założyła szkolnego mundurka, bo mógłby przyciągnąć uwagę talibów, a tego należało uniknąć za wszelką cenę.

– Na świecie dziewczynki chodzą do szkoły i niczego się nie boją. My, chodząc do szkoły, boimy się talibów.

Boimy się ich, bo mogą nas zabić, mogą polać nam twarz kwasem, mogą z nami zrobić wszystko, co tylko zechcą – wyjaśniła, patrząc prosto w obiektyw kamery.

Potem została sfilmowana szkoła, poranny apel, lekcje i ostatni dzwonek. Reportaż kończy scena, w której Malala żegna się z koleżankami i z ociąganiem zamyka drzwi szkoły. Było jasne, że reportaż nie spodoba się talibom, tak samo jak coraz bardziej popularny blog. Wiele osób domyślało się już, kto kryje się pod pseudonimem Gul Makai. To stwarzało realne zagrożenie dla jego autorki. Mimo to Malala nie zamierzała rezygnować i piętnastego stycznia ukazał się następny wpis.

15 stycznia

(...) Dzisiaj czytałam mój pamiętnik napisany dla BBC i opublikowany w gazecie. Mama polubiła mój pseudonim i nawet zasugerowała tacie, żeby zmienić mi imię na Gul Makai. Mnie też podoba się to imię, nawet bardziej niż moje prawdziwe, które oznacza „pogrążona w żalu". Ojciec powiedział, że kilka dni temu znajomy przyniósł mu wydruk tego pamiętnika i chwalił autora, mówiąc, że to jest naprawdę świetna robota. Tata tylko się uśmiechnął. Nie mógł zdradzić tajemnicy, że napisała to jego własna córka.

18 stycznia

Tata mówi, że rząd ochroni nasze szkoły. Premier też tak twierdzi. Na początku się ucieszyłam, ale teraz myślę, że to się chyba nie uda. Codziennie słyszymy, ilu żołnierzy zostało zabitych lub porwanych przez talibów. A policji nigdzie nie widać.

19 stycznia

Zniszczono kolejnych pięć szkół. Jedna z nich była blisko mojego domu. Dlaczego musieli je zniszczyć, skoro i tak były zamknięte?

22 stycznia

Jestem znudzona siedzeniem w domu z powodu zamknięcia szkół. (...) Nie mogę nigdzie wyjść. W nocy talibowie po raz kolejny ostrzegli kobiety, by nie ważyły się opuszczać domów. (...) Ogłosili też w radio, że jutro odbędzie się biczowanie trzech złodziei. Kto chce, może przyjść popatrzeć.

Malala prowadziła bloga przez kilka miesięcy. Z każdym dniem przynosił jej coraz większą popularność, i to nie tylko w dolinie Swat. Chyba nie zdawała sobie z tego sprawy, bo była bardzo zdziwiona, gdy została nominowana do międzynarodowej nagrody KidsRights Foundation – amsterdamskiej organizacji działającej na rzecz dzieci. Wkrótce potem rząd Pakistanu przyznał jej pierwszą w historii tego kraju Pakistańską Nagrodę Pokojową, która od tamtego dnia nosi nazwę Nagrody Malali. To były wspaniałe wyróżnienia, ale mama jakby coś przeczuwała. Bała się rosnącej sławy Malali. Patrząc na nagrody, mówiła:

– Nie zależy mi na nich, tylko na mojej córce. Nie zamieniłabym ani jednej rzęsy z jej oka za cały świat.

Matki mają szósty zmysł i czują, gdy ich dzieciom coś zagraża. I tym razem przeczucie mamy nie myliło. Talibowie wydali wyrok śmierci na jej córkę. Nie minął rok, a jeden z nich wycelował w Malalę pistolet i pociągnął za spust.

Rozdział 7

Rok 2013 zaczął się dla Malali bardzo dobrze. W styczniu została wypisana ze szpitala i razem z rodzicami i braćmi zamieszkała w centrum Birmingham. Ale to był tylko etap przejściowy, bo już w marcu cała rodzina przeniosła się do dużego wynajętego domu z ogrodem. Malala czuła się na tyle dobrze, że mogła znowu zacząć chodzić do szkoły. Bardzo na tę chwilę czekała. Dostała nowy, tym razem zielony mundurek, książki i plecak. Po raz pierwszy od lat uczyła się bez strachu, że pojawią się brodaci talibowie i wysadzą szkołę w powietrze. Patrząc na zadbany, czysty budynek, na świetnie wyposażone sale, zastanawiała się, dlaczego dzieci w jej kraju nie mogą mieć takich dobrych, bezpiecznych szkół.

Odpowiedź była prosta. Krwawe walki wojsk rządowych z talibami zakończyły się w 2009 roku kruchym i niepewnym pokojem. Rząd ogłosił zwycięstwo, ale talibowie tak naprawdę nigdy nie odeszli z doliny, a ich przywódca Fazlullah cały czas pozostawał na wolności.

Ludzie w Swacie próbowali normalnie żyć, jednak strach pozostał. Talibowie złym okiem patrzyli na dziewczynki w szkolnych ławkach. Chcieli je widzieć zamknięte w domach. Te, które dały się zastraszyć, rezygnowały ze zdobycia wykształcenia. Inne chodziły do szkoły z duszą na ramieniu.

Malala każdego dnia wracała myślami do swojej klasy w Mingorze. Tęskniła za koleżankami, chciałaby się z nimi spotkać i powygłupiać. Tęskniła nawet za rozklekotanym szkolnym busem i za swoim ciasnym pokoikiem, w którym nigdy nie udało się zaprowadzić wzorowego porządku. Tam, w Swacie, Malala była otoczona przyjaciółmi, ludźmi, którzy znali ją od zawsze i kochali. W Birmingham była „tą Malalą postrzeloną przez talibów". Rówieśnikom musiała się wydawać trochę dziwna, w każdym razie na pewno inna. Dlatego czuła się obco w wielkim, wynajętym domu i w swojej nowej klasie. Dobrze, że miała chociaż Monibę i mogła z nią rozmawiać przez Skype'a.

Zawsze najpierw zaczynała od pytania: „Co tam w szkole?". A potem to już gadały bez końca.

– Co tam w szkole? – spytała tradycyjnie.

– W porządku. Po ostatnich egzaminach znowu jestem najlepsza – pochwaliła się Moniba.

– Gdybym tam była, nie poszłoby ci tak łatwo – zauważyła Malala.

– Nie bądź taka pewna – obruszyła się przyjaciółka. – Ale faktycznie, rywalizacja z tobą to było coś. Teraz ścigamy się z Malką, ale to już nie to samo – westchnęła. – Wiesz, że cały czas trzymamy dla ciebie miejsce w klasie? Tak jakbyś miała lada dzień wrócić. A wrócisz kiedyś? – głos Moniby zadrżał niebezpiecznie.

– Ciągle rozmawiam o tym z tatą – przyznała Malala. – Wiem, że ma rację, kiedy mówi, że nie jestem jeszcze całkiem zdrowa i że muszę się uczyć, dużo uczyć. Ale tak naprawdę nie wracamy, bo rodzice boją się o mnie.

– Mają rację, talibowie ci nie odpuszczą – stwierdziła Moniba.

– Ja im też nie! Kocham Swat! Zobaczysz, kiedyś wrócę i zostanę premierem Pakistanu! – Malala aż poczerwieniała z emocji.

– No dobrze, ale zanim obejmiesz rządy, opowiedz, jak tam jest w tej Anglii – Moniba uśmiechnęła się od ucha do ucha. – Niby w internecie wszystko można znaleźć, nawet to twoje Birmingham, ale co innego obejrzeć sobie film, a co innego tam mieszkać naprawdę.

– Tu jest zupełnie inaczej niż u nas. Domy są wielkie, solidne i stoją wzdłuż szerokich, asfaltowych ulic. Jest czysto, na placykach i w zaułkach nie ma śmieciowych gór. Są autobusy i szybkie miejskie pociągi. W ogromnych sklepach możesz kupić wszystko, o czym tylko zamarzysz. W biały dzień w kawiarniach siedzą kobiety z mężczyznami. I to wcale nie są ich krewni. Jakby nigdy nic – jedzą ciastka, piją kawę, rozmawiają i głośno się śmieją.

– I rzecz jasna nie zasłaniają twarzy – bardziej stwierdziła niż spytała Moniba.

– One w ogóle mało co zasłaniają. Niektóre mają na sobie szorty krótsze od naszych majtek. Za to buty noszą na dwudziestocentymetrowych obcasach. Widziałam dziewczyny w bluzkach na cieniutkich ramiączkach, z wielkim dekoltem. Te bluzki nie miały ani rękawów, ani materiału na plecach. Talibowie padliby z wrażenia!

– Nie do wiary – kręciła głową Moniba.

– No, oczywiście nie wszystkie kobiety tak się tu ubierają – uspokoiła ją Malala. – Młode dziewczyny pracują w zawodach, o których nam się nawet nie śniło. Są policjantkami, kierowcami, szefami w wielkich firmach, projektują domy albo siedzą w basenie i tresują delfiny. Tutaj młodzi ludzie spacerują, trzymając się za ręce. Chłopcy przytulają swoje dziewczyny, a te wcale się nie wyrywają.

– U nas to byłoby nie do pomyślenia. Te stroje, kawiarnie, delfiny… i do tego jeszcze żeby tak z chłopakiem w objęciach, na ulicy – niedowierzała Moniba. – Wolę nie myśleć, co zrobiliby moi bracia, gdybym zatrzymała się gdzieś po drodze, żeby choć przez minutkę porozmawiać z jakimś chłopcem.

Malala wiedziała, że jej przyjaciółka boi się gniewu swoich braci, bo mogliby jej zabronić chodzić do szkoły.

Nagle Moniba klasnęła, bo właśnie coś sobie przypomniała:

– Pamiętasz Safinę z naszej klasy? Tę, która w zeszłym roku odeszła ze szkoły? – spytała.

– No pewnie. Ona jakoś niedługo potem wyszła za mąż – przytaknęła Malala.

– Tak, i wyobraź sobie, że teraz urodziła syna – podzieliła się nowiną Moniba. – Wczoraj maluszek skończył siedem dni i wszyscy przyszli go obejrzeć. Oczywiście wydano przyjęcie, mówię ci, same pyszności. Goście przynieśli prezenty i tradycyjnie wrzucali do kołyski pieniądze i słodycze. Żałuj, że nie widziałaś Safiny. Przyjmowała gratulacje, tuliła synka i była z niego taka dumna.

– Jasne, gdyby urodziła córeczkę, nie byłoby uczty, gości i prezentów. Nikt by jej nie gratulował, bo nie byłoby czego. Bliscy by jej współczuli, że na świat przyszła córka. Tylko córka – westchnęła Malala, która dobrze wiedziała, że w jej kraju narodziny dziewczynki to nie jest powód do radości.

– Safina jest w naszym wieku. Wyobrażasz sobie, że my też mogłybyśmy już mieć mężów i dzieci? – spytała Moniba.

Rozważały to przez chwilę, a potem zawołały zgodnie:

– Mowy nie ma!

Innym razem Malala opowiadała Monibie o wielkim domu, do którego przeprowadziła się jej rodzina.

– Ciągle nie mogę się do niego przyzwyczaić. Jest duży i wygodny, ale jakiś obcy. Pokoje są puste, bo nasze rzeczy zostały w Mingorze. Wyobraź sobie, że w jednym pokoju stoi nawet fortepian, ale nikt z nas nie potrafi na nim grać. A na suficie są gipsowe aniołki. Pyzate i tłuściutkie.

Moniba uśmiechnęła się. Jednak w głębi duszy wiedziała, że choć Malala żartuje sobie z aniołków, to tak naprawdę opowiada jej, że w tym wielkim domu czuje się bardzo samotna.

– A wiesz, co jest najgorsze? – ciągnęła Malala. – Że nikt z sąsiedztwa nie wpada do nas, żeby pogadać albo pożyczyć trochę cukru czy pszennej mąki na placki.

– No tak – pokiwała głową Moniba. – W Mingorze ciągle ktoś u was przesiadywał albo pomieszkiwał. Od rana drzwi się nie zamykały i w twoim domu nigdy nie można było znaleźć spokojnego kąta.

– Tutaj wszystkie kąty są spokojne, a drzwi zamknięte na pięć zamków. Zresztą jak mają wpadać do nas sąsiedzi z wizytą, skoro dom otoczony jest wysokim płotem z wielką bramą pod napięciem elektrycznym? Wiadomo, chodzi o bezpieczeństwo, ale nam trudno się do tego przyzwyczaić.

– Z czasem się zadomowicie – Moniba pocieszała przyjaciółkę. – Jak znam twoją mamę, to wcześniej czy później znajdzie sposób, by ściągnąć do was pół miasta.

– No nie wiem. Mama czuje się w Anglii bardzo obco. Nie może się z nikim dogadać, bo nie zna angielskiego. Dobrze chociaż, że mamy telefon, mama nie wypuszcza słuchawki z rąk. Dzwoni bez przerwy do Mingory i rozmawia ze wszystkimi bliskimi, którzy tam zostali.

– Może nie uda się jej sprowadzić do domu połowy Birmingham, ale z pewnością zaprosi tam połowę Mingory – stwierdziła Moniba, jednak widząc, że Malala nie podchwyciła żartu, spytała: – Co jest?

– Eee, nic takiego – wykręcała się Malala.

– No mów – Moniba nie dawała za wygraną.

– Chyba nie ma o czym – zawahała się Malala. – Wiesz, to był zaledwie moment… Wczoraj na zakupach w centrum handlowym… Było pełno ludzi i nagle zbliżyła się do mnie grupa młodych mężczyzn. Niektórzy mieli azjatyckie rysy. Tylko przechodzili obok, ale miałam wrażenie, że mnie otoczyli i że znalazłam się w pułapce. Umierałam ze strachu, czekając, aż któryś wyjmie broń, wymierzy i moją głowę znowu wypełni ten potworny huk. Oczywiście nic takiego się nie stało, minęli mnie i poszli swoją drogą. To okropne, ale zdarzają mi się jeszcze takie chwile paniki.

– Z czascm i to minie. Zapomnisz – szepnęła Moniba i przytknęła palce do monitora, jakby chciała pogłaskać Malalę.

– Nie mówię o tym rodzicom, żeby ich nie martwić. Koleżankom z nowej szkoły też o tym nie powiem, bo one zrobiłyby wielkie oczy i zapytałyby zdziwione: „A czego tu się bać?".

Moniba pokiwała głową. Nie musiała nic mówić, Malala i tak wiedziała, że jej przyjaciółka rozumie wszystko.

Rozdział 8

W lipcu 2013 roku Malala wraz z rodziną poleciała do Nowego Jorku. Tam, w dniu swoich szesnastych urodzin, przemawiała na zgromadzeniu ONZ. To było pierwsze wystąpienie Malali od czasu zamachu na jej życie. Po 276 dniach od tych dramatycznych wydarzeń znowu stanęła za mównicą, przed obiektywami kamer. Niewysoka, drobna dziewczynka w różowym, tradycyjnym stroju, otulona białym szalem Benazir Bhutto. Mówienie nadal sprawiało jej pewną trudność, a lewa powieka bezwiednie opadała.

Miała przed sobą wypełnioną po brzegi salę. Młodzi ludzie, dyplomaci, dygnitarze i światowi przywódcy czekali, aż przemówi. W pierwszym rzędzie widziała ojca. Patrzył na nią z nieskrywaną dumą. Mama ocierała łzy wzruszenia, a brat Atal oczywiście się wiercił. Malala mówiła śmiało i zdecydowanie, bezbłędną angielszczyzną.

– Nic nie zmieniło się w moim życiu z wyjątkiem tego, że w miejsce słabości i strachu narodziła się siła i odwaga. Nie jestem tu, by krytykować talibów. Jestem, by mówić o prawach przysługujących każdemu dziecku. Chcę edukacji dla wszystkich dzieci, także dla synów i córek ekstremistów, zwłaszcza talibów.

Przemówienie Malali, raz po raz, przerywano oklaskami.

– Pamiętam chłopca z mojej szkoły, który spytany, dlaczego talibowie tak bardzo boją się edukacji, pokazał książkę, którą trzymał w ręce, i odpowiedział: „Talib nie wie, co tam jest napisane".

Malala przemawiała około dwudziestu minut. Ostatnie zdania jej wystąpienia brzmiały tak:

– Weźmy naszc książki i pióra. To najpotężniejsza broń. Jedno dziecko, jeden nauczyciel, jedna książka i jedno pióro mogą zmienić świat.

Gdy skończyła, zgotowano jej owację na stojąco. A dwunasty lipca – dzień szesnastych urodzin Malali, który zbiegł się z dniem jej wystąpienia w ONZ – ogłoszono Dniem Malali.

Ta niezwykła nastolatka dostała w sumie kilkadziesiąt ważnych i prestiżowych nagród. Trafiły w jej ręce także, dyplomy i odznaczenia z Ameryki, Indii, Francji, Hiszpanii, Włoch, Austrii i wielu innych krajów. Za niezłomną postawę nagrodził ją, między innymi, Uniwersytet Harvarda, a Parlament Europejski przyznał Malali Nagrodę Sacharowa za zasługi w walce o prawa człowieka. Jej zdjęcie na okładce „Newsweeka" podpisano: „Najodważniejsza dziewczyna na świecie". Dwukrotnie trafiła też na okładkę „Time Magazine". Po raz pierwszy w 2012 roku, gdy rywalizowała z Barackiem Obamą o tytuł „Człowieka roku". Po raz drugi, kiedy została uznana za jedną ze stu najbardziej wpływowych osób na świecie. W 2013 roku ukazała się książka *To ja, Malala*, opisująca historię dziewczynki. Książkę wydano jednocześnie w dwudziestu siedmiu krajach świata. Długo można by jeszcze wymieniać wszystkie medale i wyróżnienia, jakimi uhonorowano tę dziewczynkę. Mówiąc najprościej, spadł na nią istny deszcz nagród. W tym ta jedna, chyba najważniejsza – Pokojowa Nagroda Nobla.

Dziesiątego października 2014 roku Malala, jak zwykle, była od rana w szkole. Na lekcji chemii, gdy uczniowie zgłębiali wiedzę o elektrolitach, do klasy wszedł jeden z nauczycieli i powiedział:

– Mam do przekazania bardzo ważną wiadomość. Malalo, właśnie dowiedzieliśmy się, że otrzymałaś Pokojową Nagrodę Nobla.

To niezwykłe wydarzenie sprawiło, że nikt już nie myślał o odczynnikach i roztworach. Przez resztę dnia uczniowie i nauczyciele składali Malali gratulacje. Ze wszystkich stron słychać było:

– Brawo! Jesteśmy z ciebie dumni.

– Super, Malala jest noblistką!

– Wspaniała nowina!

– No nie, jest Nobel! Ale jazda! I jeszcze na dodatek chemia nam przepadła!

Samej Malali trudno było uwierzyć, że została najmłodszą w historii laureatką tej nagrody. Wraz z nią nagrodzony został Kailash Satyarthi – sześćdziesięcioletni obrońca praw dzieci z Indii. Uroczystość wręczenia miała miejsce dziesiątego grudnia w Oslo. Tuż przed ceremonią Malala została przyjęta przez norweską rodzinę królewską.

A potem przyszedł ten najważniejszy moment. Malala wyglądała pięknie, gdy w różowej tunice odbierała ręcznie robiony dyplom i złoty medal z wizerunkiem Alfreda Nobla. Patrząc na nią, wielu myślało, jak długą przeszła drogę. Wyruszyła z odległego Pakistanu, by teraz swobodnie, bez lęku i tremy, przemawiać w Oslo do wielkich tego świata.

Ten uroczysty nastrój nie udzielił się Atalowi, młodszemu bratu Malali, który kręcił się na krześle wyraźnie naburmuszony.

No i czemu ona jest taka sławna? Stoi tam i znowu będzie się wymądrzać. A na końcu wszyscy będą ją chwalić i klaskać. To niesprawiedliwe. Ci ludzie – rozejrzał się po przepełnionej sali – nie mają pojęcia, że Malala jest uparta jak osioł i ciągle się kłócimy, bo chowa przede mną swojego laptopa – myślał Atal, patrząc na siostrę z wyrzutem.

– Mamooo – szepnął. – Kiedy to się skończy?

– Ciii – mama położyła palec na ustach na znak, że ma nie przeszkadzać. Nie było wyjścia, musiał wytrwać do końca przemówienia Malali.

– Wierzę, że Komitet Noblowski dał tę nagrodę wszystkim dzieciom, w imieniu których mówię. Łączę się z dziećmi w ich marzeniu, by zostać wysłuchanym. Chcę, by każde dziecko mogło pójść do szkoły, by każde otrzymało wykształcenie. Mnie talibowie tego zabronili. Miałam dwie możliwości: siedzieć cicho albo zacząć mówić, ryzykując, że mnie zabiją. Wybrałam tę drugą drogę.

Malala zwróciła się też do rodziców:

– Tato, dziękuję, że nie podciąłeś mi skrzydeł, że pozwoliłeś mi wzlecieć i spełniać moje marzenia. Mamie dziękuję za inspirację. Jestem też chyba pierwszą laureatką Pokojowej Nagrody Nobla, która wciąż sprzecza się ze swoimi braćmi – dodała z uśmiechem, wywołując tymi słowami radość na buzi Atala.

– No, przyznała się – szepnął i wraz z innymi z całych sił bił siostrze brawo.

Rzecz jasna, po dziesiątym grudnia popularność Malali jeszcze bardziej wzrosła. Młodziutka noblistka raz po raz stawała w świetle reflektorów i udzielała licznych wywiadów. W jednym z nich powiedziała:

– Ponad sześćdziesiąt milionów dzieci na świecie nie ma szans na to, by się uczyć. Z tego w samym Pakistanie

pięć milionów dzieci nie chodzi do szkoły, większość z nich to dziewczynki. Kiedyś chciałam być lekarzem. Jednak lekarz może pomóc ograniczonej liczbie ludzi, ale polityk, jeśli tylko dobrze spełnia swe obowiązki, może pomóc wszystkim. Tak, chciałabym zostać premierem mego kraju.

Kiedy siedemnastolatka mówi: „Chcę zostać premierem", uśmiechamy się z pobłażaniem. Ale kiedy mówi to Malala Yousafzai, nie wątpimy, że tak się stanie. Bo ta niezwykła dziewczyna nieraz pokazała, że niemożliwe staje się możliwe. Jestem pewna, że już wkrótce znowu o niej usłyszymy.

Nota biograficzna

Malala Yousafzai opowiedziała historię swojego życia Christinie Lamb, brytyjskiej pisarce i korespondentce. Lamb spisała te wspomnienia i nadała im kształt powieści. Tak powstała autobiograficzna książka zatytułowana *To ja, Malala*, do której niejednokrotnie sięgałam, pisząc tę książkę.

Malala Yousafzai urodziła się 12 lipca 1997 roku w Mingorze – największym mieście doliny Swat. Na mapie dolinę tę znajdziemy na północnym zachodzie Pakistanu, niedaleko granicy z Afganistanem. Ojciec Malali, Ziauddin Yousafzai – poeta, nauczyciel i jednocześnie założyciel sieci prywatnych szkół – utwierdzał córkę w przekonaniu, że tylko wykształcenie zapewni jej wolność i niezależność.

W 2008 roku pakistańscy talibowie wprowadzili zakaz edukacji dziewcząt. Zamknęli i zniszczyli setki szkół, głosząc, że kształcenie dziewczynek narusza tradycyjny muzułmański porządek społeczny. Wtedy jedenastoletnia Malala, pod pseudonimem Gul Makai, zaczęła opisywać

na blogu życie w dolinie Swat pod rządami talibów. Śmiało opowiadała się za prawem dziewcząt do nauki, wolności i decydowania o własnym losie. Stopniowo traciła swoją anonimowość. Przemawiała publicznie, stawała przed kamerami i udzielała wywiadów, piętnowała talibów, ale też krytykowała pakistańskich polityków. Zrozumiała, że jej głos jest ważny, więc – nie bacząc na ostrzeżenia i pogróżki – występowała w obronie praw dzieci.

Coraz bardziej irytowała talibów, aż wreszcie 9 października stała się celem ich ataku. W drodze powrotnej ze szkoły została postrzelona w głowę. Cudem przeżyła. Talibowie otwarcie przyznali się do zamachu i zagrozili, że kiedyś go powtórzą. Malala w ciężkim stanie została przewieziona do Wielkiej Brytanii, gdzie poddano ją intensywnej rehabilitacji. Do dziś uczy się i mieszka wraz z rodziną w Birmingham.

W 2011 roku Malala otrzymała Pakistańską Nagrodę Pokojową, w 2013 Nagrodę Sacharowa, Międzynarodową Dziecięcą Nagrodę Pokojową, Nagrodę Anny Politkowskiej i Nagrodę Simone de Beauvoir. Tych i innych nagród było bardzo wiele. Ukoronowaniem ich była przyznana Malali w 2014 roku Pokojowa Nagroda Nobla.

Malala stała się symbolem odwagi i walki o prawa dzieci. Wspólnie z ojcem Ziauddinem prowadzi fundację Malala Found, pomagającą finansować naukę dzieci, które nie mają szans na edukację. Takich dzieci jest na świecie około 61 milionów.

Pakistański trybunał antyterrorystyczny skazał na 25 lat więzienia dziesięć osób zamieszanych w atak na Malalę. Pośród skazanych nie było zamachowca, który strzelał do Malali, bo ten zbiegł podobno do Afganistanu. Ponadto stacja BBC ujawniła, że ośmiu z dziesięciu talibów, którzy stanęli przed sądem, zostało potajemnie uniewinnionych…

Renata Piątkowska